책을 내면서

앙상블을 접하면 화음감, 박자감, 리듬감, 집중력, 연주력 향상 등 많은 부분에서 잇점이 있습니다 .

이 책은 실력이 다른 여럿이 모여 한 곡을 완성할 수 있게 편곡 되었습니다 . 자기 레벨에 맞는 파트로 초보자와 상급자가 함께 연주할 수 있고, 피콜로나 알토, 베이스 플룻이 없이 일반적인 콘서트 플룻 만으로도 풍부한 음량으로 앙상블을 즐길 수 있습니다.

파트 밑에 별 표시로 난이도를 나타내어 자기 레벨을 쉽게 찾을 수 있습니다. 전곡 반주 QR이 있어 전 파트 구성 뿐 아니라 한두 파트 빠진채 솔로나 듀엣으로 연주해도 아름답게 완성 됩니다. 또한 각 곡에 코드 표시로 반주도 수월 합니다

기초부터 차근차근 함께 연습하면서 자기 소리뿐 아닌 다른 소리들도 들을 수 있게 된다면 앙상블을 통한 어울림의 묘미와 오묘한 화성의 세계로 이어지는 음악의 풍요로움을 만끽할 수 있을 것입니다.

책에 수록된 곡들은 기존에 있던 악보들로는 여럿이 모인 수업에서 함께 하는데 어려움이 있어 따로 편곡해 연주해 왔던 곡들입니다. 실제로 학교와 문화센터, 앙상블팀 등에서 축제나 발표회, 연주회 때 호평 받아 왔던 곡을 모았습니다. 1권에 이어 2권도 즐거운 연주와 실력향상에 많은 도움 되길 바랍니다. 조언주신 경희동문 선후배 님들, 도움주신 김정민 선생님, 사랑하는 가족들께 감사하고 책을 낼 수 있는 여건과 지혜를 허락 하신 하나님께 감사드립니다.

차례

Lemon tree

볼커힌켈 작곡
한유경 편곡

Lemon tree

Lemon tree

Lemon tree

Lemon tree

Lemon tree

Lover's waltz

Score

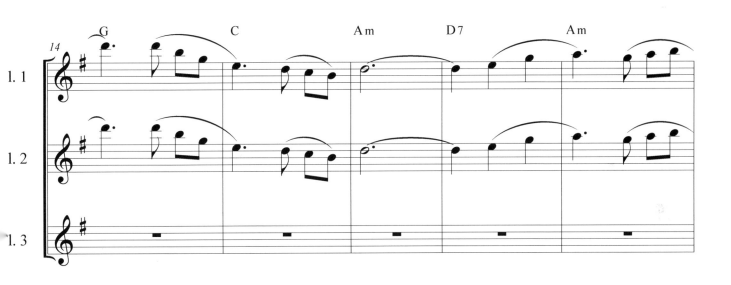

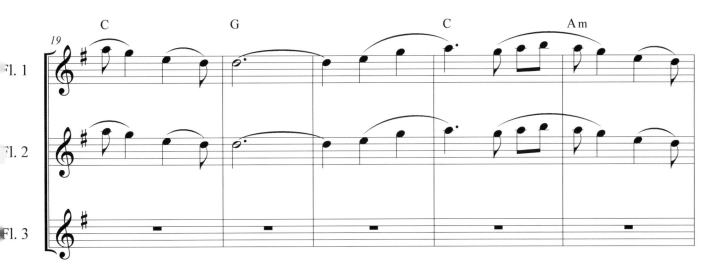

Lover`s waltz

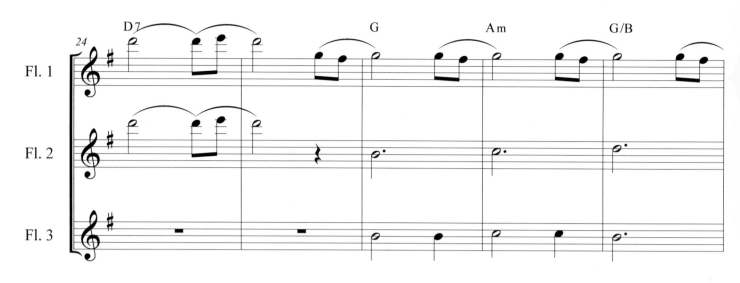

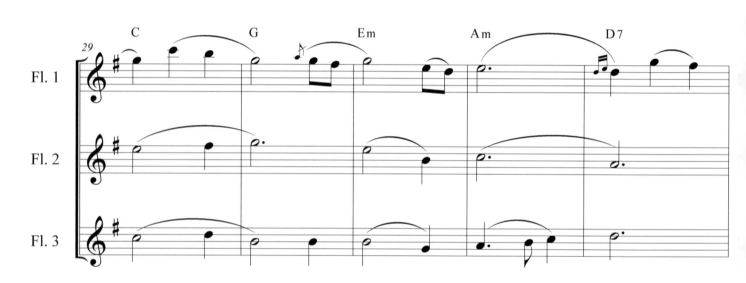

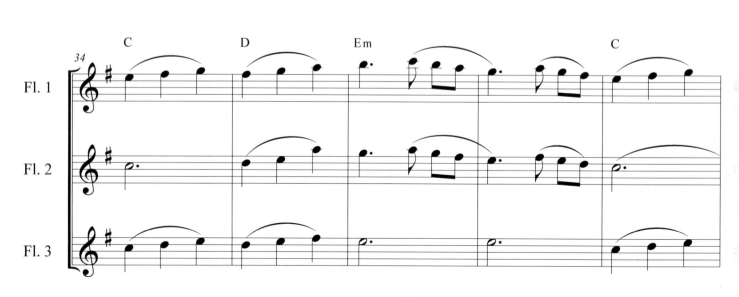

Lover`s waltz

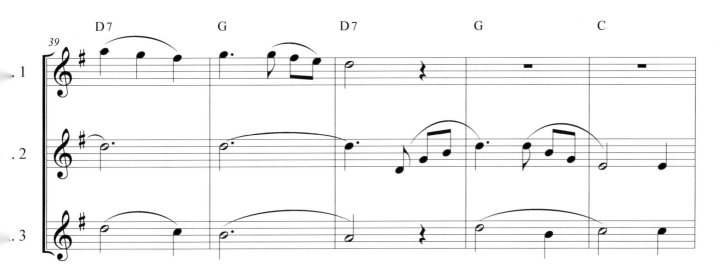

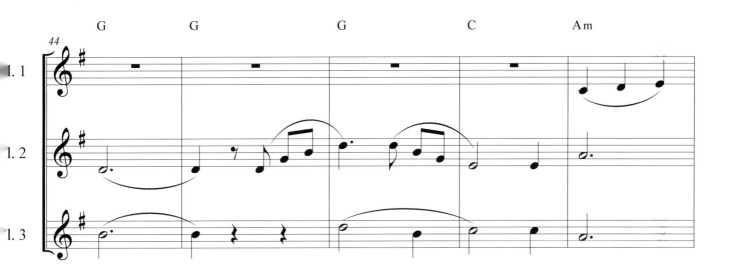

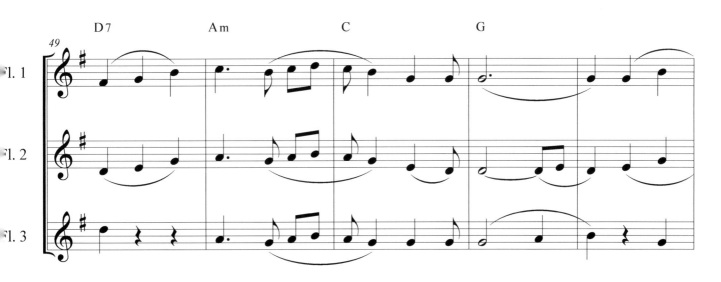

Lover`s waltz

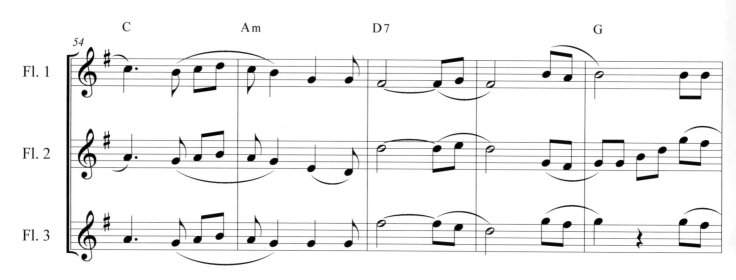

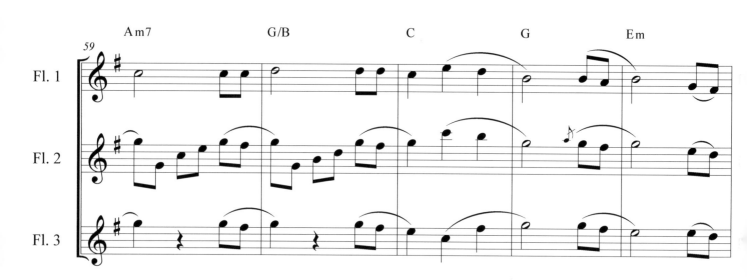

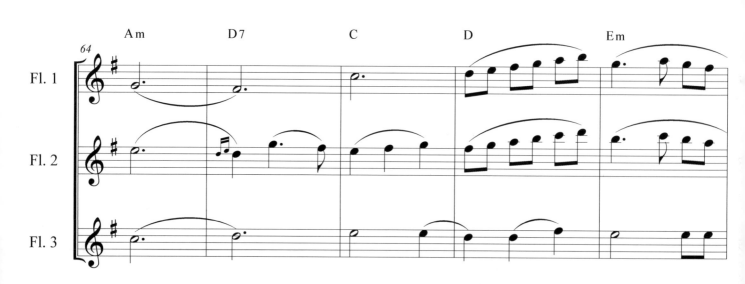

Lover`s waltz

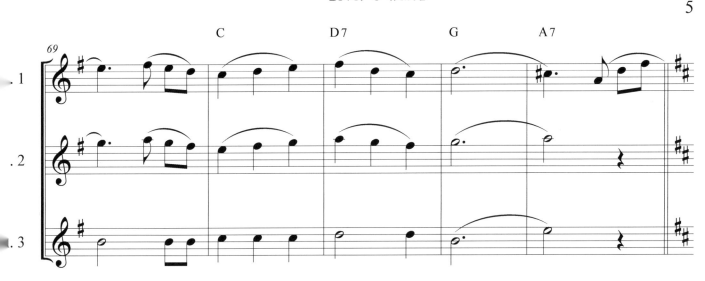

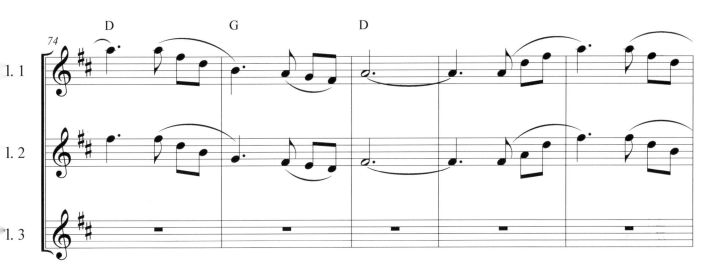

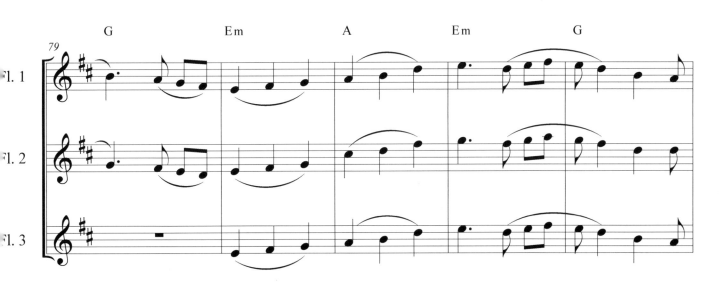

Lover`s waltz

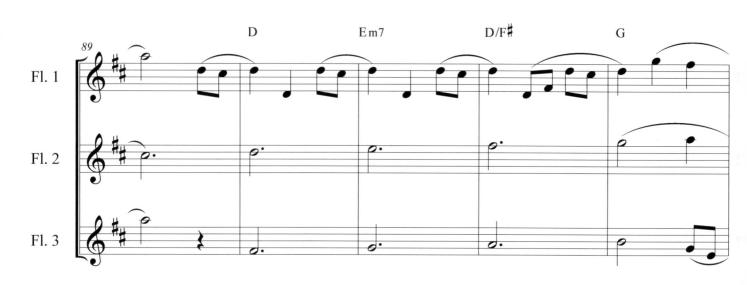

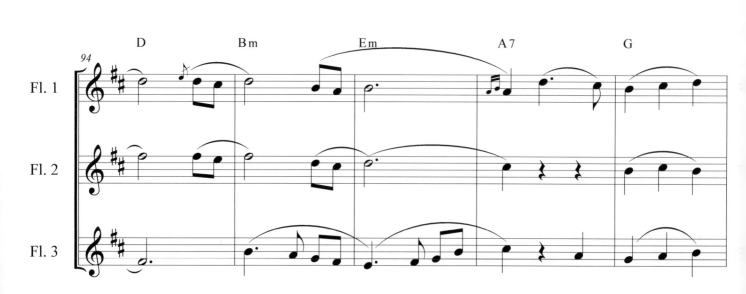

Lover`s waltz

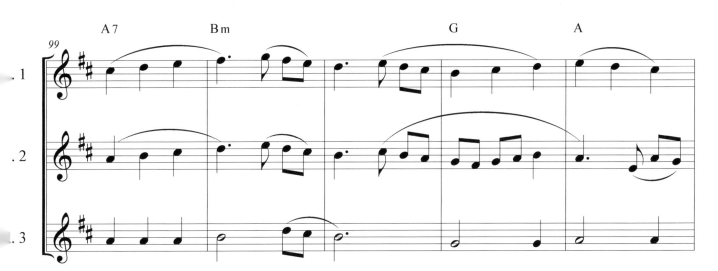

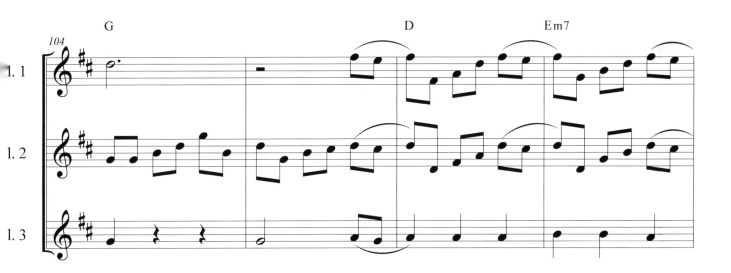

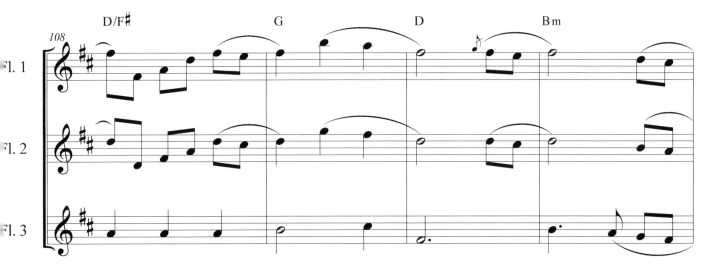

Lover`s waltz

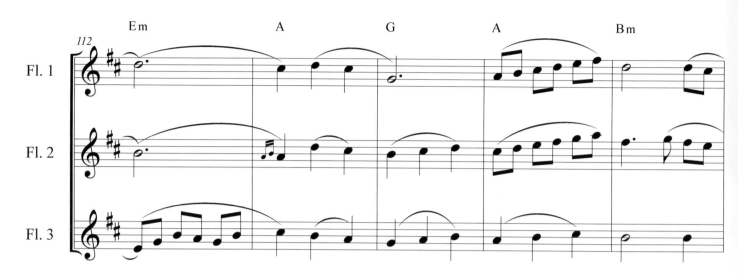

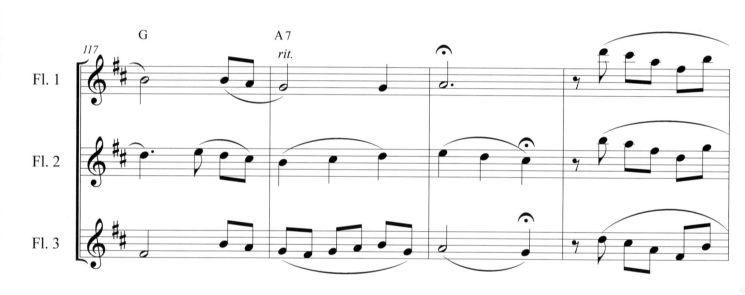

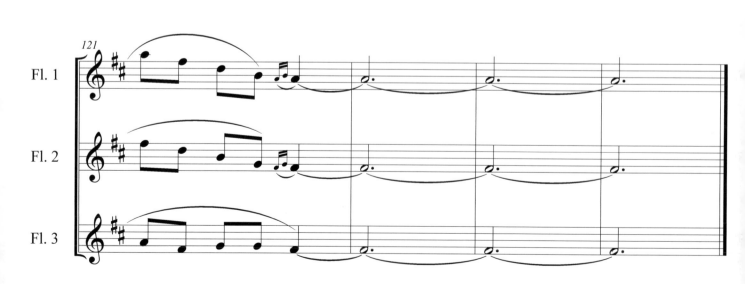

Morning has broken

Score

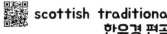

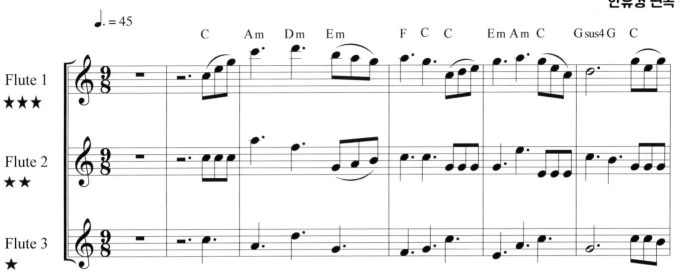

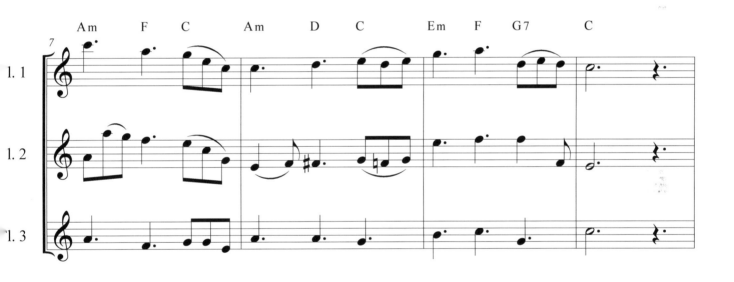

Morning has broken

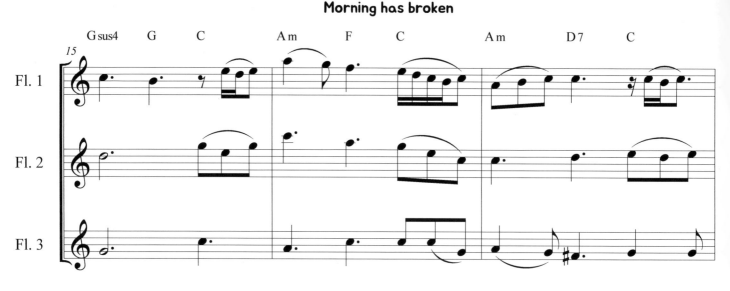

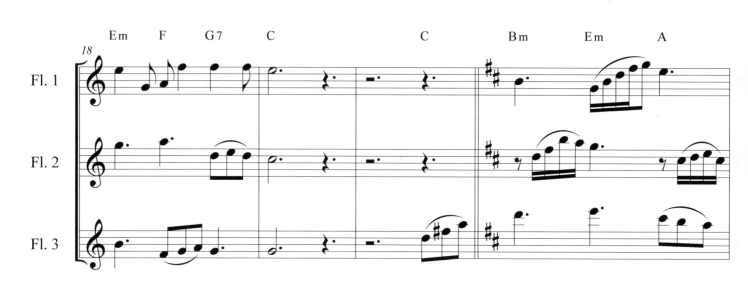

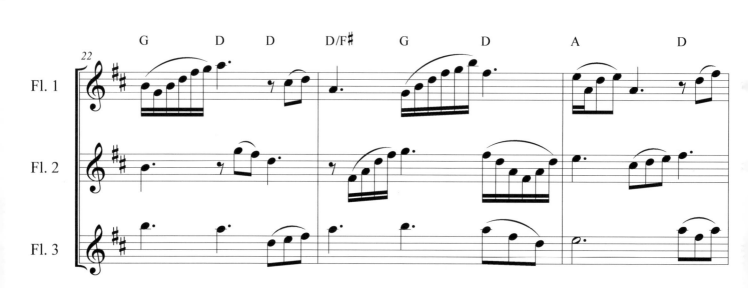

Morning has broken

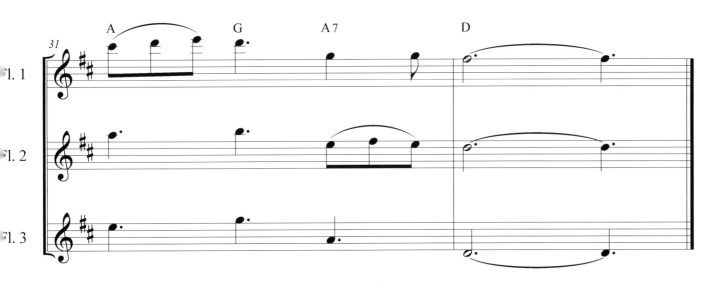

Paris Paris

Monla 작곡
한유경 편곡

Paris Paris

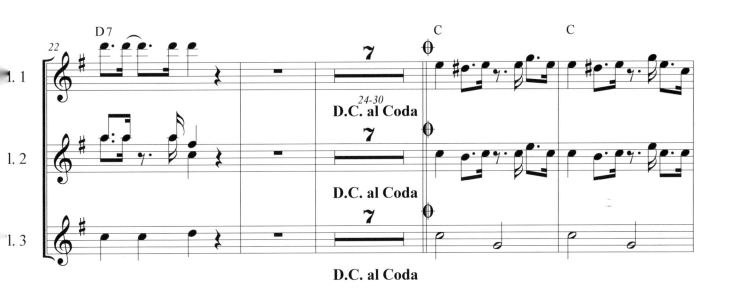

Paris Paris

Paris Paris

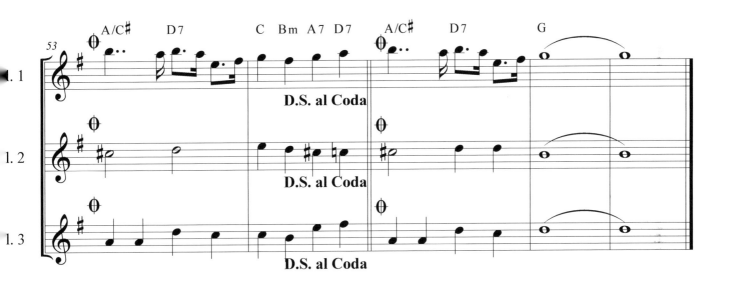

D.S. al Coda

D.S. al Coda

D.S. al Coda

Try to remember

Score

Harvey Schmidt
한유경 편곡

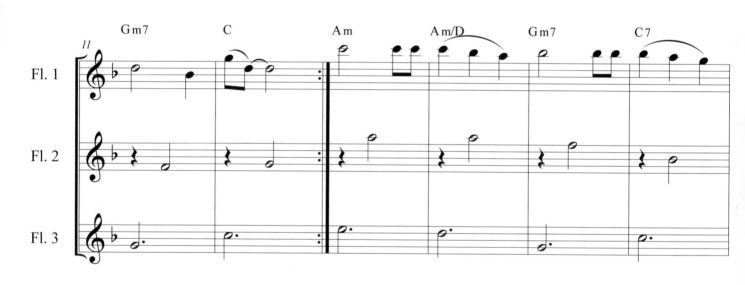

26

Try to remember

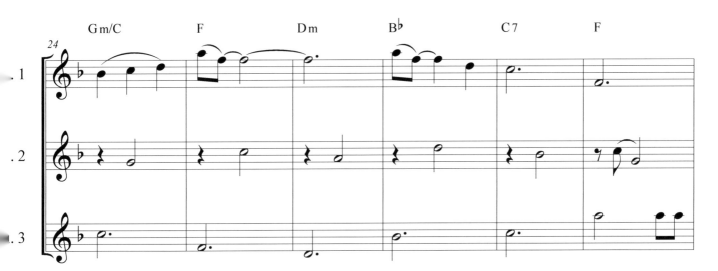

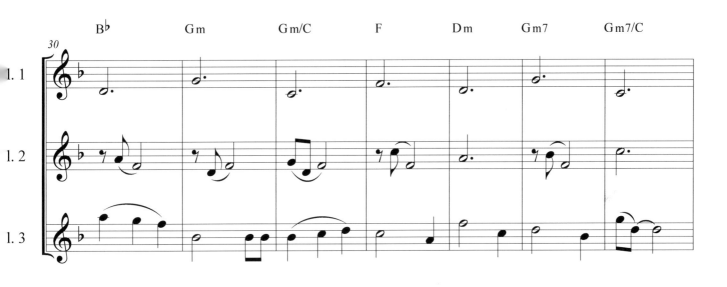

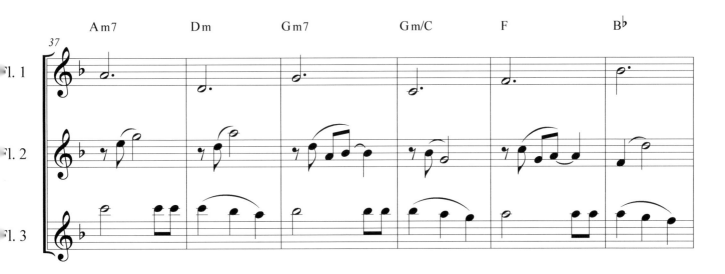

Try to remember

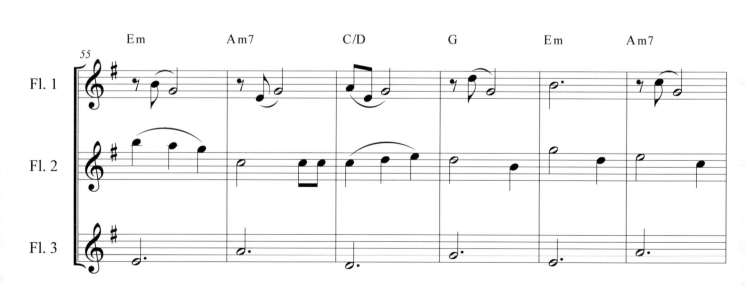

Try to remember

We wish you a Merry Christmas

영국캐롤
한유경 편곡

Score

we wish you a merry christmas

we wish you a merry christmas

we wish you a merry christmas

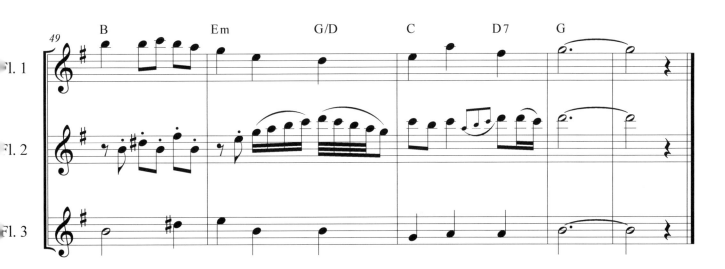

리듬 오브 더 레인

J.C.Gummoe
한유경 편곡

리듬 오브 더 레인

리듬 오브 더 레인

리듬 오브 더 레인

침침체리

Richard M. Sherman, Robert B. Sherman
한유경 편곡

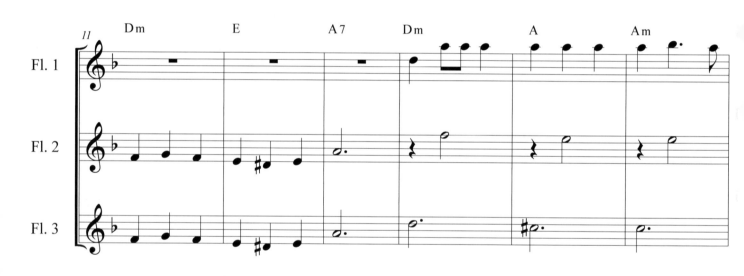

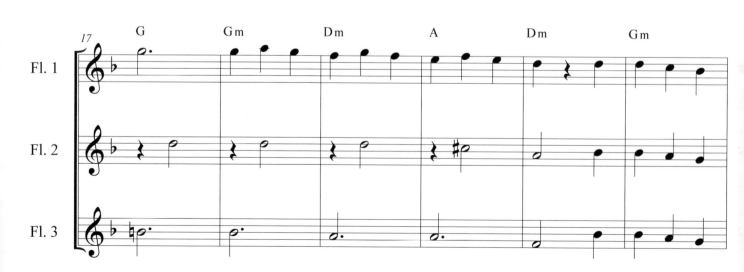

침침체리

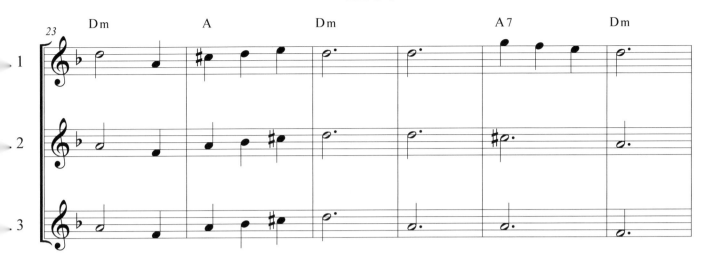

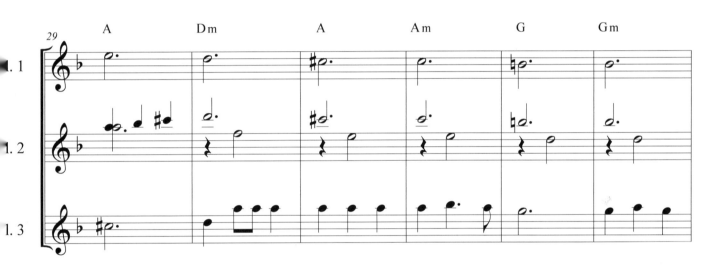

침침체리

침침체리

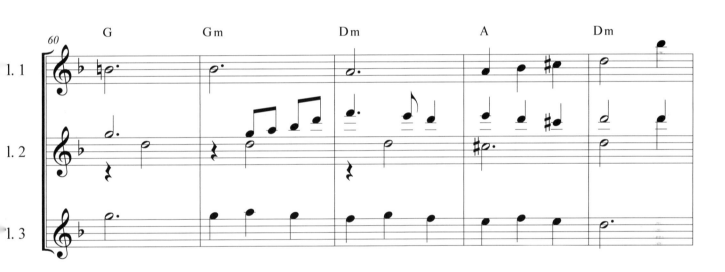

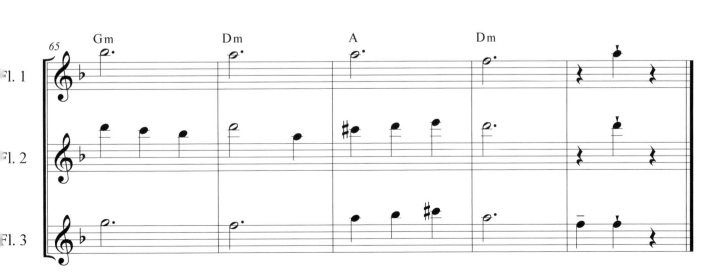

보케리니 미뉴에트

Score

Boccherini 작곡
한유경 편곡

보케리니 미뉴에트

43

보케리니 미뉴에트

보케리니 미뉴에트

45

보케리니 미뉴에트

보케리니 미뉴에트

47

바흐 미뉴에트

Score

J.S.Bach
한유경 편곡

미뉴에트

미뉴에트

미뉴에트

사운드 오브 뮤직

Score

사운드 오브 뮤직

사운드 오브 뮤직

사운드 오브 뮤직

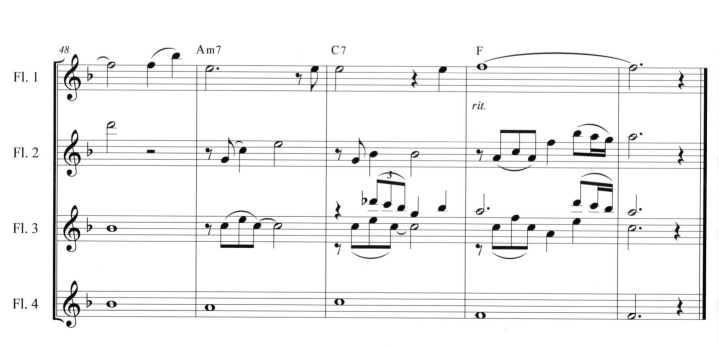

아름다운 세상

57

아름다운 세상

58

아름다운 세상

59

아름다운 세상

징글벨 락

Bobby Helms
한유경 편곡

징글벨 락

징글벨 락

징글벨 락

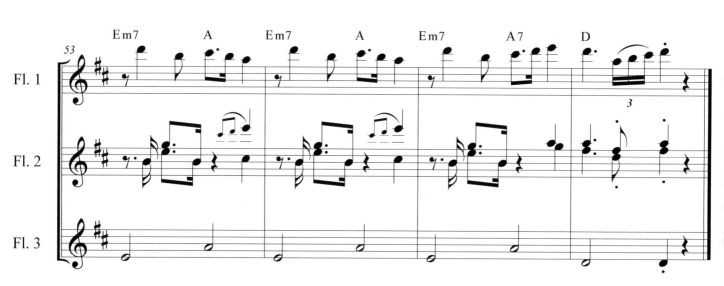

64

성자들의 행진

흑인영가
한유경 편곡

성자들의 행진

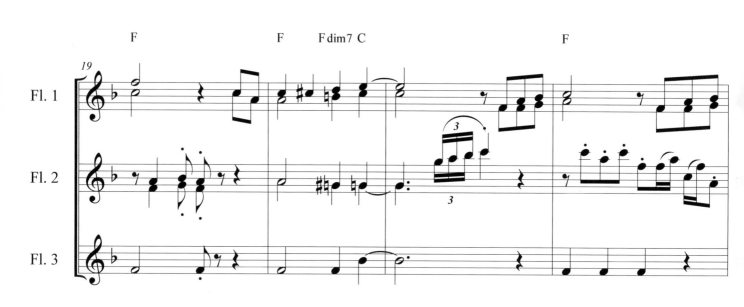

성자들의 행진

Tambourin

Score

F.J. Gossec

한유경 편곡

Tambourin

69

Tambourin

Tambourin

플란다스의 개

플란다스의 개

플란다스의 개

74

피노키오

Score

피노키오

피노키오

77

피노키오

하바네라

비제작곡
한유경 편곡

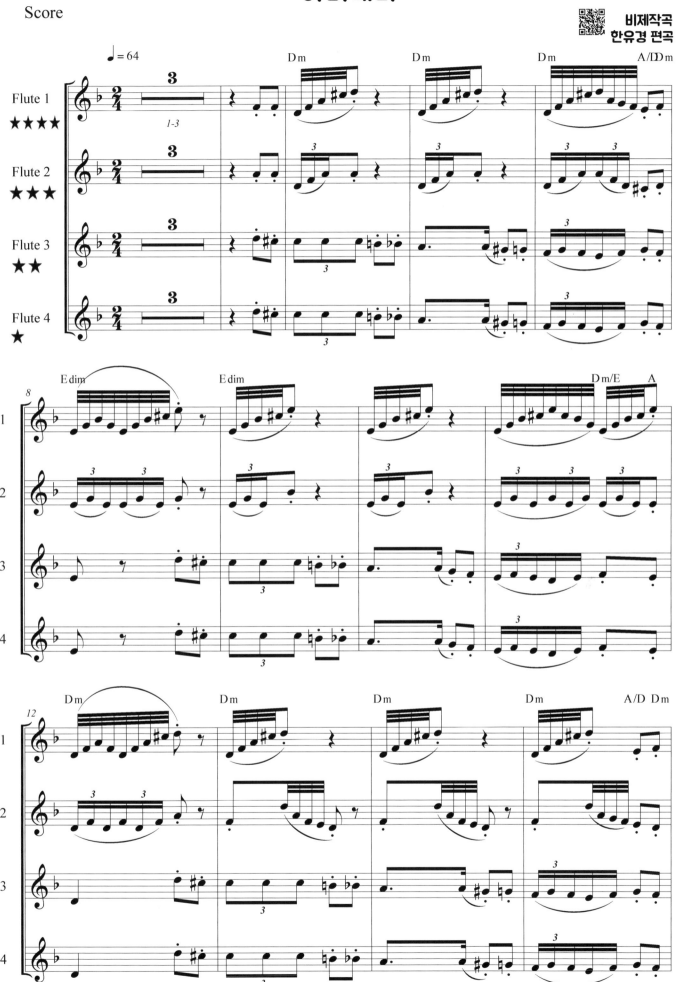

하바네라

80

하바네라

하바네라

82

하바네라

퍼프와 재키

Score

Peter Yarrow
한유경 편곡

84

퍼프와 재키

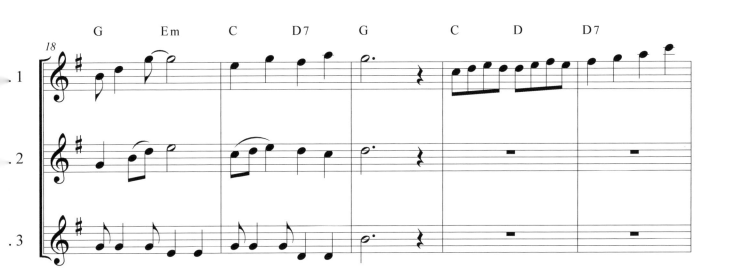

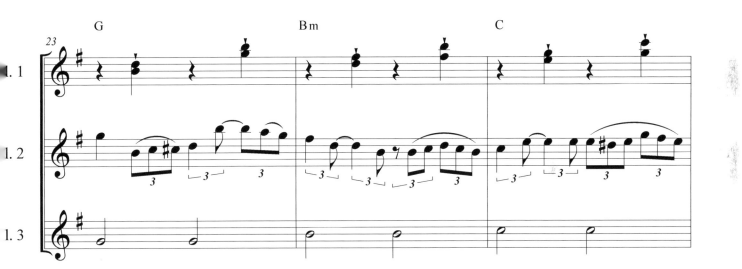

퍼프와 재키

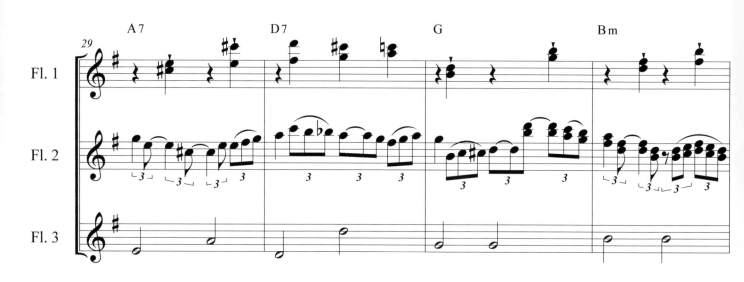

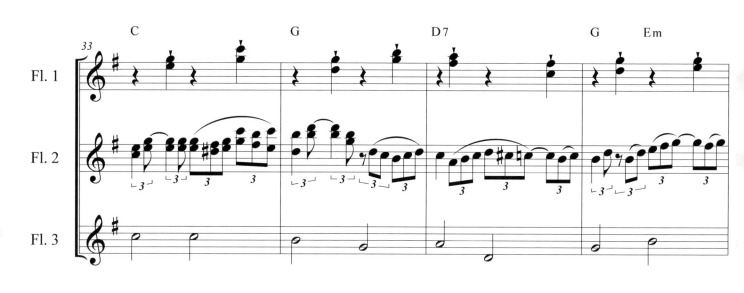

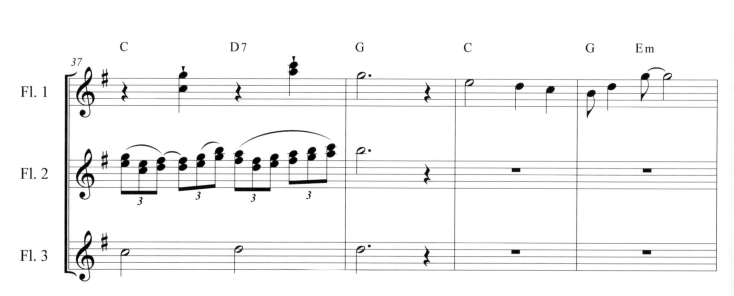

퍼프와 재키

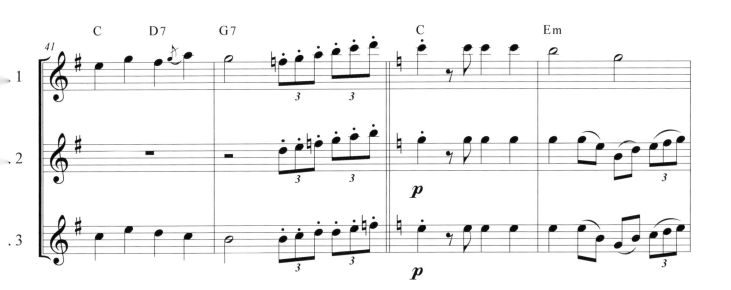

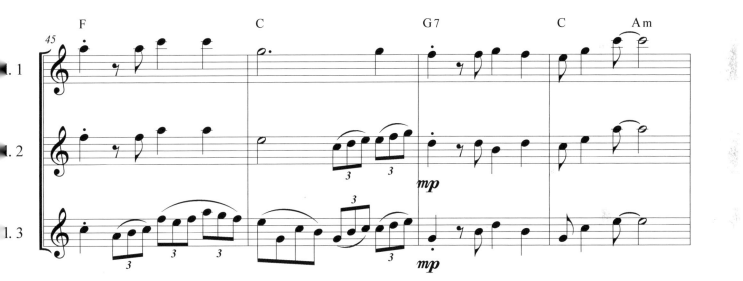

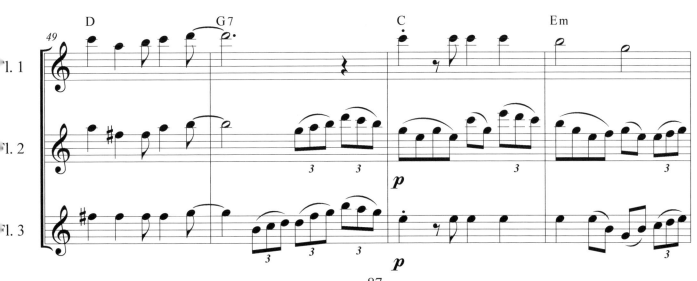

퍼프와 재키

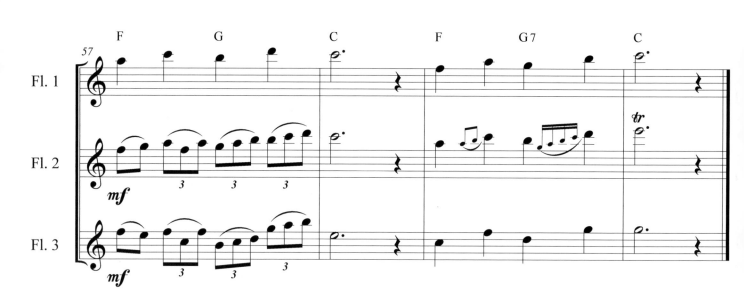

88

할아버지의 11개월

Score

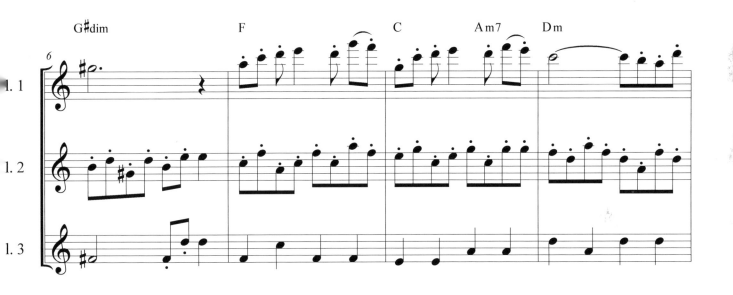

할아버지의 11개월

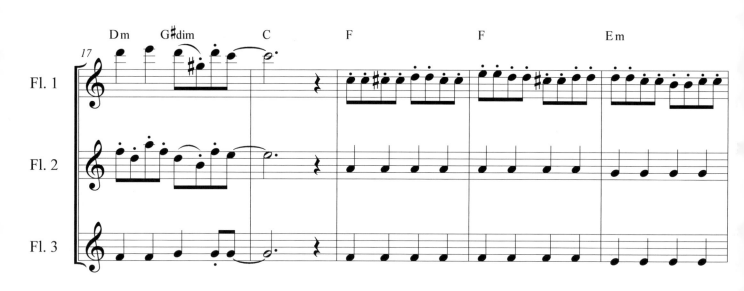

할아버지의 11개월

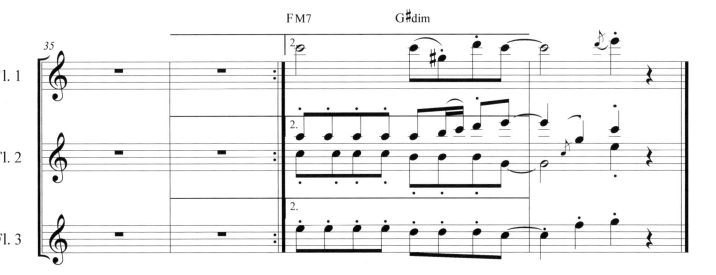

허쉬리틀베이비

Americn folk
한유경 편곡

92

허쉬리틀베이비

허쉬리틀베이비

허쉬리틀베이비

95

도레미송...

R.Rodgers 작곡
한유경 편곡

Score

도레미송

도레미송

도레미송

도레미송

도레미송

도레미송

102

도레미송

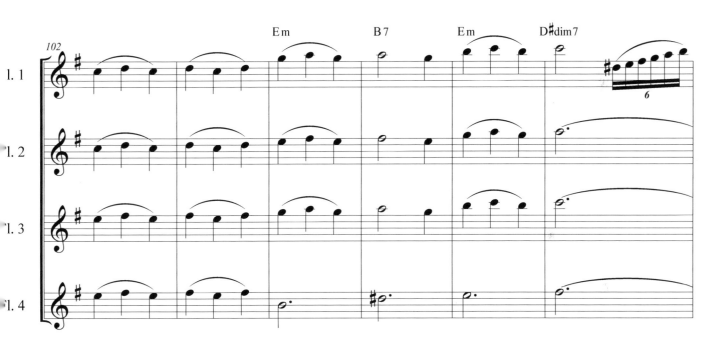

도레미송

104

모두가 함께하는 플루트 앙상블 교실 2 스코어 (교사용)

발 행 | 2021년 07월 07일

저 자 | 한유경

펴낸이 | 한건희

펴낸곳 | 주식회사 부크크

출판사등록 | 2014.07.15.(제2014-16호)

주 소 | 서울특별시 금천구 가산디지털1로 119 SK트윈타워 A동 305호

전 화 | 1670-8316

이메일 | info@bookk.co.kr

ISBN | 979-11-372-4975-2

www.bookk.co.kr